Al fin, un buen día se levantó y se dispuso a salir para cantar.

Pero Silvana ignoraba que justo ese día empezaba el otoño. Ya hacía un poco de frío y el cielo estaba nublado. Así pues, cuando nuestra cigarra abrió la puerta, no le quedó más remedio que cerrarla de inmediato.

Enseguida se volvió a acostar y se durmió profundamente hasta el siguiente verano.

Por mi parte, creo que yo también haré lo mismo.

¡Pobre Silvana! Afuera hacía un sol maravilloso y ella sin poder salir.

Desgraciadamente, para restablecerse era necesario que guardara cama durante varias semanas.

De inmediato, Abeja Teresa le llevó
un poco de miel para curar su tos.
Pero en los días siguientes nadie la visitó.
Había una razón metereológica.
En efecto, el sol brillaba de nuevo en
el cielo y Teresa, al igual que sus amigos,
había retornado a sus labores veraniegas.

Los días pasaron; nuestra cigarra
se hartó de tener que remojarse
de la cabeza a los pies sin ver el menor
atisbo del sol entre las nubes.
"Después de todo, no es asunto mío",
gruñía al toser. "Me iré a casa",
dijo para sí.

Ya en su dormitorio, Silvana se
dio cuenta de que había pescado un
fuerte resfrío por lo que tendría que
guardar cama.

Así, estimulada por nuestros tres compinches, aceptó. Entonces cantó, cantó y cantó durante horas bajo la lluvia que caía a chorros sobre sus alas.

Sin embargo, Silvana no tenía ningún deseo de salir de su casa para ir a cantar bajo la lluvia.

—No es asunto mío —dijo, mientras secaba con un trapeador las huellas de los pies mojados.

Pero, cuando se dio cuenta de toda la miel que Teresa ya no podría fabricar y de toda la cera que Modorro ya no podría venderle, cambió de parecer.

—Entonces, ¿qué haremos, Teresa? —preguntó Modorro.

—¡Ya sé! —intervino súbitamente Gilberto Mariposa—. Para que el sol brille otra vez, es necesario que Silvana Cigarra se ponga a cantar.

De inmediato todos estuvieron de acuerdo:

—Es una buena idea. Vamos a pedírselo ahora mismo.

Y así, los tres partieron en busca de la cigarra.

Abeja Teresa, quien nunca en su vida había visto tanta lluvia junta, repetía incansable:

—¿No es espantoso?

Y Abejorro Modorro replicaba:

—¡Espantoso es tener que chapotear todo el día en un hueco húmedo y soportar tremendos goterones!

—La cuestión es saber qué vamos a hacer —dijo Teresa con tono impaciente.

Mientras todos se ocupaban
de buscar un lugar abrigado,
Silvana Cigarra regresó a su casa y,
sin pensarlo dos veces, se puso a hacer
algunas tareas en espera de que
la lluvia cese.

Desafortunadamente llovió, llovió
y llovió durante días, días y días.

Pero en el cielo, las nubes negras crecían y se elevaban más y más alto, en forma de ondas amenazadoras, como si quisieran apagar el sol.

Después se hizo la noche y el agua empezó a caer a torrentes sobre el jardín.

Sólo las abejas, las mariposas
y los abejorros aprovechaban
el adormecimiento general y recogían
con afán el preciado polen
de las bellas flores.

—Canta, canta cigarra —repetían
sin cesar, mientras iban de flor en flor—,
este será un buen verano para
nuestras depensas.

Para Silvana Cigarra el verano
se anunciaba ya cálido y delicioso.
Cada hoja, cada flor en el jardín
parecía como adormecida bajo
el brillante sol y todos los habitantes
tenían un aire soñoliento.

Silvana Cigarra

Bichitos Curiosos
SERIE 2

BLUME

PEISA

Antoon Krings

Primera edición en el Perú

SILVANA CIGARRA
Título original:
Pascale la Cigale

Traducción:
Martha Muñoz de Coronado

© Éditions Gallimard, Francia, 1997
© Antoon Krings

De esta coedición:
© Art Blume, S.L., 2007
Av. Mare de Déu de Lorda, 20 - 08034 Barcelona, España
www.blume.net
© Ediciones PEISA S.A.C., 2007
Av. Dos de Mayo 1285, San Isidro. Lima 27, Perú
info@peisa.com.pe

Autor e ilustrador:
Antoon Krings

Tiraje: 48,000 ejemplares
ISBN N.º: 9972-40-393-9
Registro de Proyecto Editorial N.º: 11501310600850
Hecho el depósito legal en la Biblioteca Nacional del Perú N.º: 2006-11501
Impresión:
Quebecor World Perú S.A.
Av. Los Frutales 344, Ate - Lima 3, Perú.